PINÓQUIO

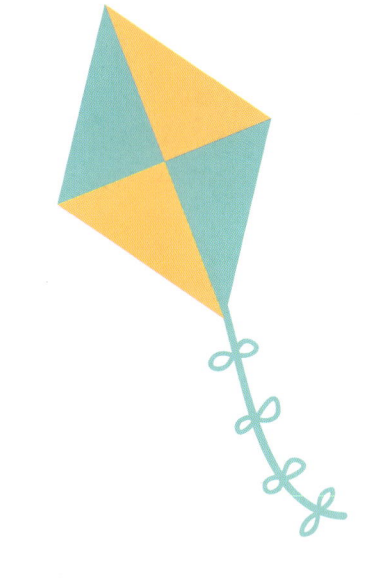

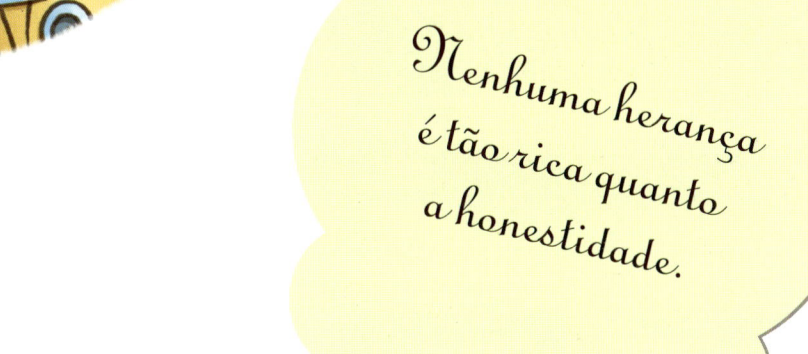

Nenhuma herança é tão rica quanto a honestidade.

ERA UMA VEZ...

UM ALEGRE E EXÍMIO CARPINTEIRO,
QUE TRABALHAVA EM SUA OFICINA O DIA INTEIRO.
SEU NOME ERA GEPETO E SOZINHO ELE VIVIA,
ENTÃO CRIOU UM BONECO PARA LHE FAZER COMPANHIA.

PINÓQUIO FOI O NOME QUE
GEPETO LHE DEU,
E, ASSIM QUE FICOU PRONTO,
O SEU CORPO SE MEXEU.
GEPETO ACHOU QUE UMA FADA,
POR CARIDADE,
HAVIA FEITO DAQUELE BONECO
UM MENINO DE VERDADE.

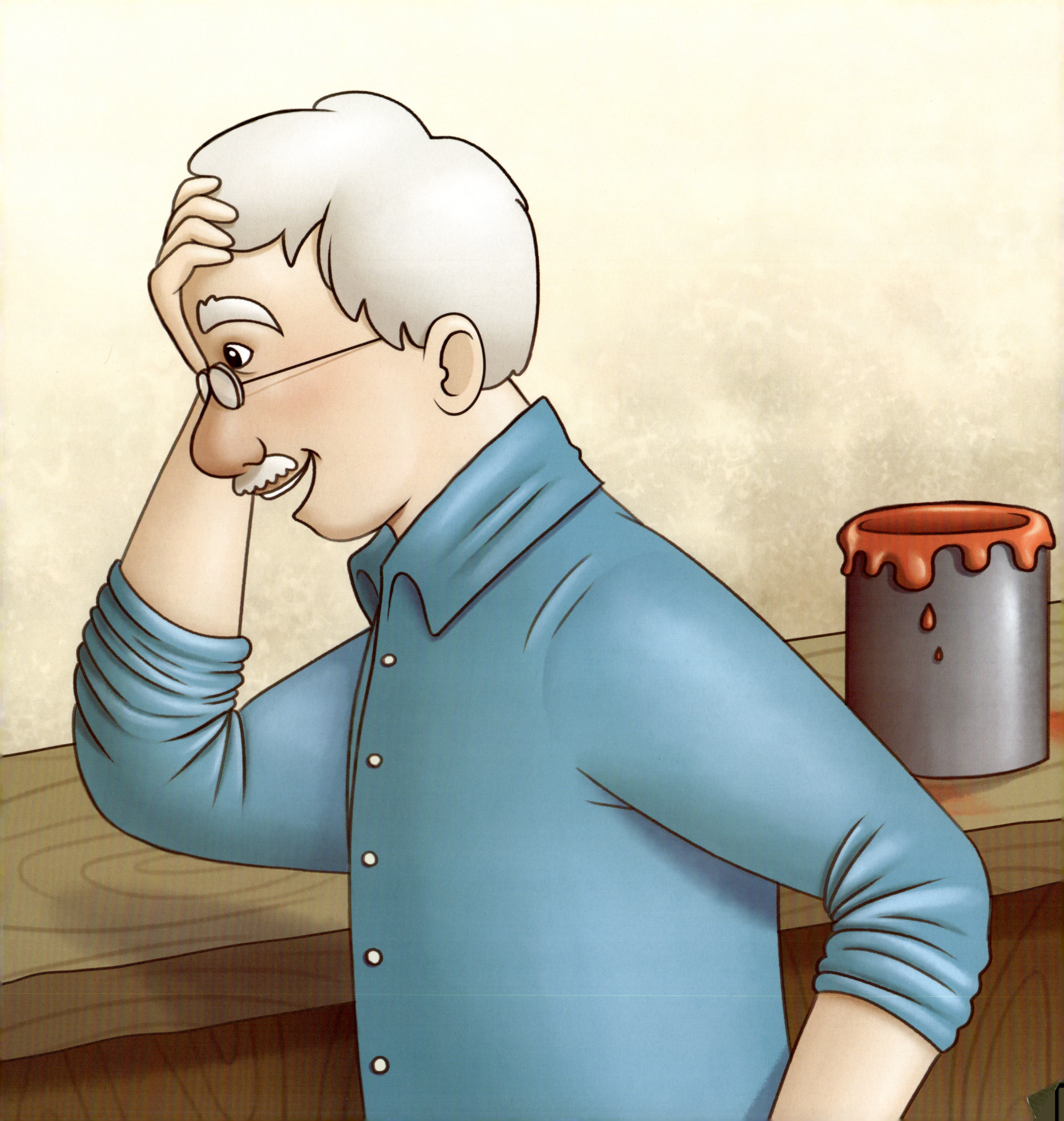

GEPETO DEU-LHE ROUPAS E SAPATOS PARA CALÇAR,
COMPROU LIVROS E CADERNOS PARA ELE ESTUDAR.
MAS, NO CAMINHO PARA A ESCOLA, UM CIRCO CHAMOU SUA ATENÇÃO,
E ELE TROCOU SEUS LIVROS E CADERNOS POR UMA BOA DIVERSÃO.

O DONO DO CIRCO FICOU MARAVILHADO
COM AQUELE MENINO TODO ARTICULADO.
PARA QUE ELE VOLTASSE AO CIRCO PARA TRABALHAR,
DEU AO MENINO MOEDAS PARA O SEU PAI CONQUISTAR.

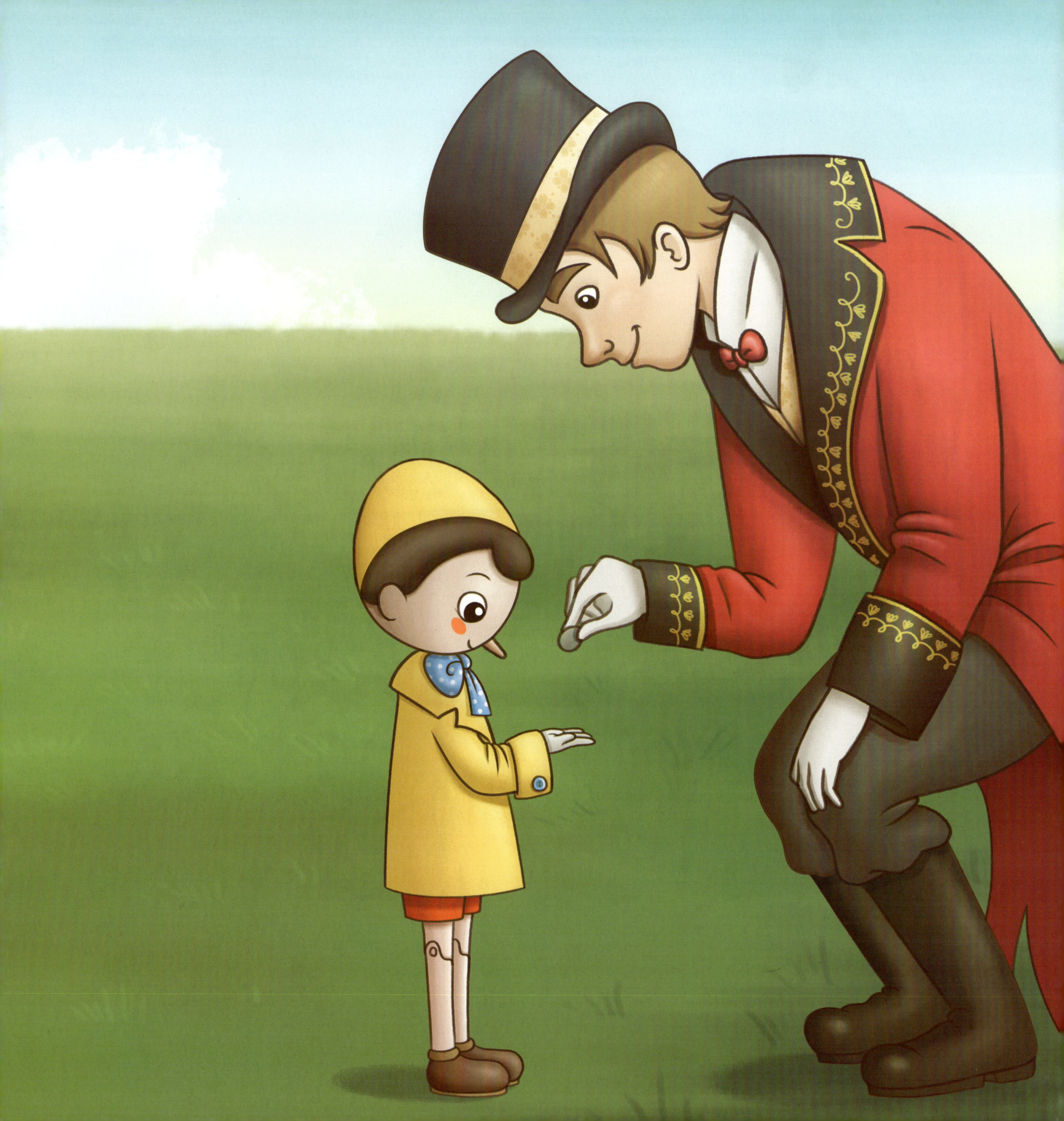

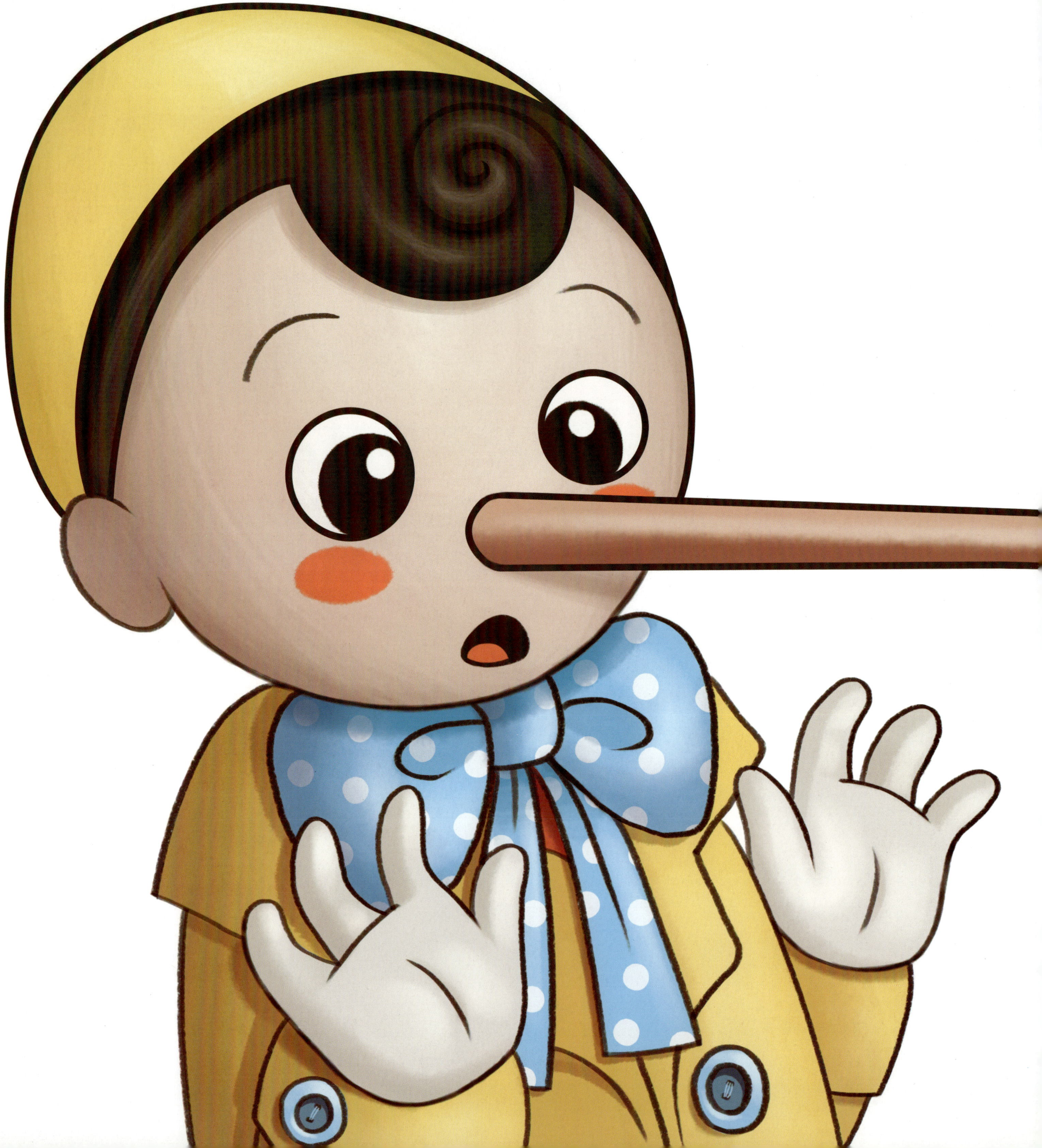

NA VOLTA PARA CASA, SUA ALEGRIA POUCO DUROU,
POIS UM MALANDRO REFINADO O SEU DINHEIRO ROUBOU.
NO CAMINHO FOI BOLANDO MENTIRAS PARA O PAI ENGANAR,
MAS CADA MENTIRA PENSADA FAZIA

SEU NARIZ AUMENTAR.

AO PERCEBER QUE PINÓQUIO DA ESCOLA NÃO VOLTAVA,
GEPETO, BEM DEPRESSA, FOI VER SE O ENCONTRAVA.
DO CAIS, COM O SEU BARCO, GEPETO PARTIU,
MAS UMA ENORME BALEIA O SEU BARCO LOGO VIU.

PINÓQUIO CHEGOU EM CASA E GEPETO NÃO ESTAVA,
TAMBÉM NÃO VIU O BARCO QUE ELE SEMPRE USAVA.
PREOCUPADO COM GEPETO, COMEÇOU A SE CULPAR,
E SAIU CORRENDO PARA O CAIS PARA O ENCONTRAR.

NO CAIS, VIU A ENORME BALEIA ENGOLINDO
GEPETO E O BARCO QUE ELE ESTAVA DIRIGINDO.
PINÓQUIO PULOU AO MAR PARA O PAI AJUDAR,

MAS A BALEIA ABRIU
A BOCA
PARA O APANHAR.

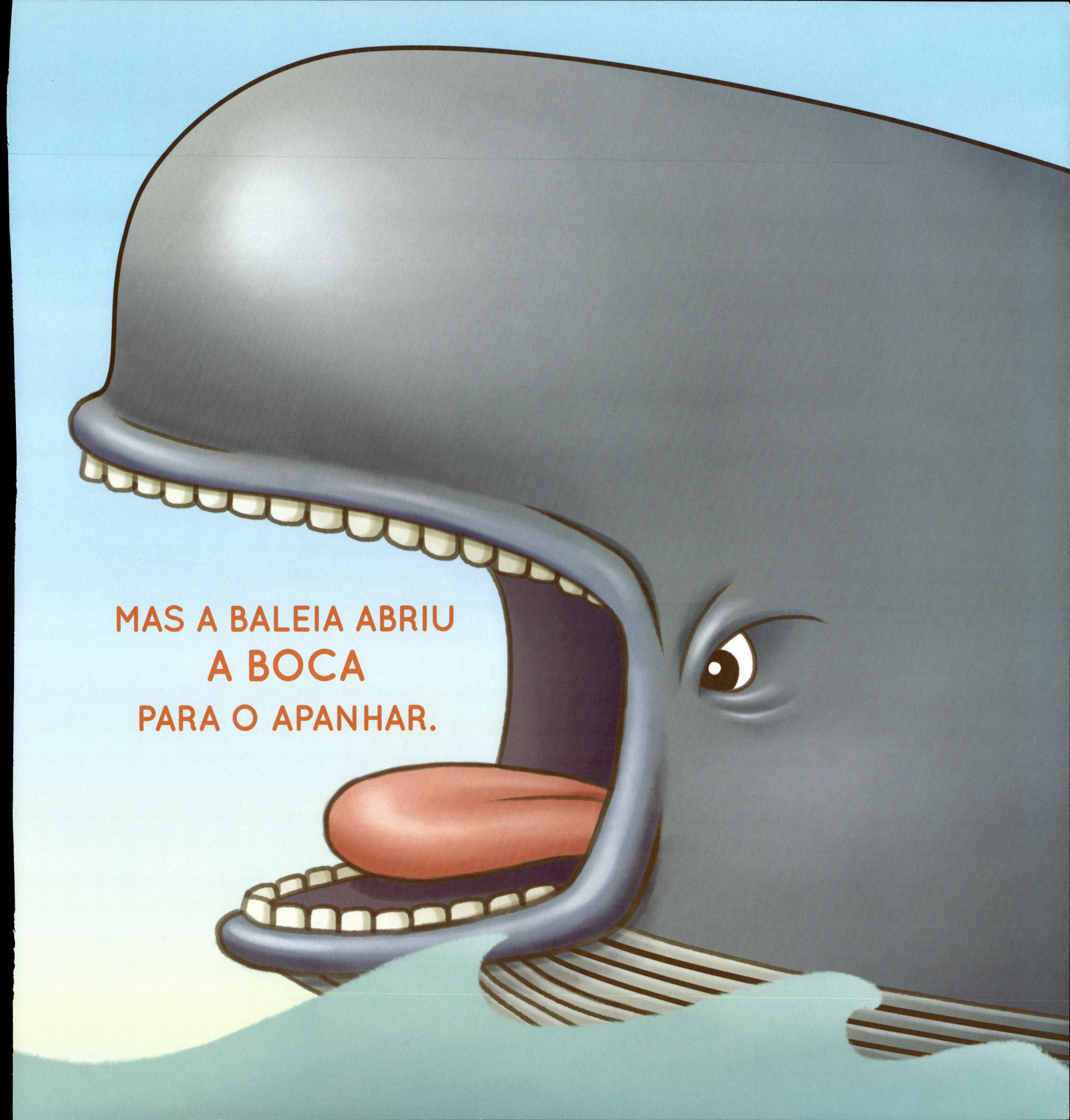

DENTRO DA BALEIA SE PERGUNTARAM: **"E AGORA?"**.

MAS, POR SORTE, A BALEIA, NUM JATO, OS JOGOU PARA FORA.

SUBIRAM NO BARCO E AO CAIS CHEGARAM.

ENTÃO, CONTENTES, PARA CASA VOLTARAM.

PINÓQUIO PEDIU DESCULPAS PELO OCORRIDO,
PORQUE NÃO CUMPRIU O QUE TINHA PROMETIDO.
O BOM GEPETO O **PERDOOU** E SOUBE ENTENDER,
SEU FILHO AINDA TINHA MUITO O QUE APRENDER.

A HISTÓRIA MOSTRA QUE PINÓQUIO SE ARREPENDEU. ELE TAMBÉM APRENDEU QUE NÃO PODIA MENTIR E PEDIU PERDÃO MOSTRANDO HONESTIDADE E UM BOM CORAÇÃO.

Clássico da literatura infantojuvenil, *As Aventuras de Pinóquio* é um romance escrito pelo italiano Carlo Collodi, em Florença, no ano de 1881.

Todos os direitos desta edição
reservados para Editora Pé da Letra
www.pedaletraeditora.com

© Paulo Moura — 2015

Direção editorial	James Misse
Editoração eletrônica	A&A Studio Criação Ltda.
Ilustração	Jéssica Olmedo
Revisão de Texto	Marcelo Montoza
	Nilce Bechara

DCIP-BRASIL. CATALOGAÇÃO-NA-FONTE
SINDICATO NACIONAL DOS EDITORES DE LIVROS, RJ

M889p

Moura, Paulo

    Pinóquio / Paulo Moura ; ilustrações Jéssica Olmedo. - 1. ed. - São Paulo : Pé da Letra, 2015.

    il. (Clássicos das virtudes)

ISBN 978-85-61403-43-0

    1. Poesia infantojuvenil brasileira. I. Olmedo, Jéssica. II. Título. III. Série.

15-25555   CDD: 028.5
                                               CDU: 087.5